fair

fly

footprints

fish

frog

family

f

f for **f**ootprints

f for **f**ootprints
in the snow

f for **fly**

f for **fly**
in the spider's web

5

f for family

f for **f**amily
at the **f**air

Fish, fish,
all in a dish.
Who will eat
my beautiful fish?